COLEÇÃO FILOSOFIA VIVA

Idries Shah

as sutilezas do inimitável Mulá Nasrudin

tradução
Tami Buzaite

Tabla

AGRADECIMENTOS

Muitos entusiastas de Nasrudin, em diversas partes do mundo, colaboraram nessa coletânea de histórias. Sua contribuição inclui tradução, gravação, comparação entre versões, recitação, visita a comunidades de imigrantes e pesquisa literária.

Quero agradecer a todos eles, em especial: Abdul Karim Suhrawardi, Khan Abdul Karim Khan, Göte Evald Andersson, Sufi Anwar Ali Shah, Sadar M. Aqil Hussain Khan, Barlas, Dom Ismael Benasar, Sir Edwin Chapman-Andrews, M. K. Chaudhury, Helena Edwards, Shaykh Fakhruddin Al-Amudi, Sharif Faris Al-Halabi, Feroz Abdali, Leon Flamholc, Hazrat Hafiz Abdullah, Bay Ilderim, Sayyid Iskandar, Jasim Al-Anaizi, Edward P. Lumsden, David Wade, Yar M. Khan e Dr. Zeki Al-Mahassini.

SUMÁRIO

AS SUTILEZAS DO INIMITÁVEL MULÁ NASRUDIN

Se eu sobreviver a esta vida sem morrer, ficarei surpreso.

PROVÉRBIO DO MULÁ NASRUDIN

Se eu soubesse o que dois e dois são, eu diria... Quatro!

PROVÉRBIO DO MULÁ NASRUDIN

RÁDIO

Quando o Mulá Nasrudin chegou ao controle de imigração, em Londres, o oficial responsável perguntou:

"De onde você vem?".

Nasrudin respondeu:

"Grrrr... do Oriente".

"Nome?"

"Mulá... sssssss... Nasrrrrgrrudin!"

"Você tem algum problema na fala?"

"Uiiiiii... Não!"

"Então por que fala assim?"

"Pip-pip-pip... Eu... Grr... Aprendi inglês com um programa de rádio!"

QUERER É...

"Mulá, Mulá, meu filho escreveu da Residência de Ensino para contar que concluiu totalmente seus estudos!"

"Console-se, senhora, com a ideia de que Deus, sem dúvida, lhe enviará mais."

TALVEZ EU LHE FAÇA UM FAVOR

Nasrudin não tinha um tostão, mas ele não queria que seu amigo Aslam soubesse disso. Infelizmente, Aslam lhe pediu para trocar uma moeda de ouro.

"Está um pouco gasta", disse Nasrudin.

"Quão gasta, Mulá?"

"Tão gasta que vale menos do que o valor de troca. Peça para outra pessoa."

"Não, eu confio em você. Dê-me exatamente o quanto você acha que ela vale."

"Bem", avaliou o Mulá, "parece-me que vale tão pouco que você teria de me pagar para eu tomá-la da sua mão."

NECESSIDADES

Quando o Mulá saiu da mesquita após as orações, um mendigo sentado na rua lhe pediu uma esmola. Ocorreu a seguinte conversa:

Mulá: "Você é esbanjador?".

Mendigo: "Sim, Mulá".

Mulá: "Você gosta de vadiar por aí, tomar café e fumar?".

Mendigo: "Sim".

Mulá: "Suponho que você gosta de ir à casa de banho todos os dias...".

Mendigo: "Sim".

Mulá: "... e de se divertir, inclusive bebendo com os amigos?".

Mendigo: "Sim, eu gosto de todas essas coisas".

"Tsc, tsc, tsc", murmurou o Mulá, e lhe deu uma moeda de ouro.

Alguns metros mais à frente, outro mendigo que havia escutado a conversa implorou por uma esmola.

Mulá: "Você é esbanjador?".

Mendigo: "Não, Mulá".

Mulá: "Você gosta de vadiar por aí, tomar café e fumar?".

Mendigo: "Não".

Mulá: "Suponho que você gosta de ir à casa de banho todos os dias...".

Mendigo: "Não".

Mulá: "... e de se divertir, inclusive bebendo com os amigos?".

Mendigo: "Não, eu quero apenas viver frugalmente e rezar".

Ao que o Mulá lhe deu uma pequena moeda de cobre.

"Mas, por que", queixou-se o mendigo, "você dá, a mim, um homem econômico e devoto, um trocado, enquanto dá àquele sujeito extravagante uma moeda de ouro?"

"Ah", respondeu o Mulá, "as necessidades dele são maiores que as suas."[1]

1 Essa história é cortesia de Sir Edwin Chapman-Andrews.

O FIM DO MUNDO

"Quando será o fim do mundo, Mulá?"

"Qual fim do mundo?"

"Bem, quantos há?"

"Dois, o Maior e o Menor. Se minha esposa morrer, esse será o Menor fim do mundo. Mas, se *eu* morrer, esse será o Maior fim do mundo."

UM BOCADO

Nasrudin visitou um clérigo avarento, que lhe perguntou:

"Você gostaria de um bocado para comer?".

Quando a comida chegou, o Mulá viu que era literalmente nada mais do que um bocado.

Naquele momento, um mendigo olhou pela janela.

O clérigo gritou:

"Vá embora, ou quebrarei seu pescoço!".

"Irmão", disse Nasrudin ao mendigo, "vá embora rápido, pois sou testemunha de que, pela primeira vez, temos aqui um homem que não está exagerando!"

FOFOCA

“Mulá, sua esposa é uma tremenda fofoqueira. Ela visita todos na cidade e fofoca o tempo todo.”

“Não acredito. Se fosse verdade ela certamente teria, vez ou outra, aparecido lá em casa e fofocado... E ela nunca fez isso!”

SATISFEITO

Nasrudin se mudou para uma casa nova.

O carteiro chamou à porta e disse:

"Espero que você esteja satisfeito com a entrega da sua correspondência".

"Mais do que satisfeito", respondeu Nasrudin. "Na verdade, a partir de amanhã, você pode dobrar minhas encomendas."

DISPENDIOSO

Nasrudin montou uma barraca com um cartaz em cima, onde se lia:

> DUAS PERGUNTAS SOBRE QUALQUER ASSUNTO
> RESPONDIDAS POR R$30,00

Um homem que tinha duas perguntas muito urgentes entregou o dinheiro, dizendo:

"Trinta reais por duas perguntas é bem caro, não acha?".

"Acho", respondeu Nasrudin. "E a próxima pergunta é?"

PROBLEMAS DA SOLIDÃO

Algo assustou o Mulá Nasrudin quando caminhava por uma estrada. Ele se jogou numa vala e, então, começou a imaginar que tinha morrido de medo.

Depois de algum tempo, ele sentiu muito frio e muita fome. Caminhou até a sua casa, deu à esposa a triste notícia e voltou para a sua vala.

Sua esposa, soluçando compulsivamente, foi até os vizinhos em busca de consolo. “Meu marido está morto, deitado numa vala.”

“Como você sabe?”

“Ninguém o encontrou, então ele mesmo teve de vir me contar, coitado.”

O ARABISTA

Nasrudin alegava que havia estado em Meca e vivido um longo período na Arábia.

"Como se diz 'camelo' em árabe?", perguntou um dos colegas na casa de chá.

"Por que não ter um senso de proporção", ponderou o Mulá, "em vez de pensar numa criatura tão grande?"

"Que tal a palavra árabe para 'formiga', então?"

"Muito pequena."

Alguém interveio:

"Qual é a palavra árabe para 'cordeiro'?".

"Estou certo de que eles têm um termo, mas não fiquei lá o suficiente para saber. Parti assim que os cordeiros haviam nascido, e não houve tempo para a cerimônia de batizado."

OS PROBLEMAS DO ATRASO

A aeronave de quatro motores estava com problemas, e a voz do capitão ecoou pelos alto-falantes:

"Um dos nossos motores pifou, mas não há perigo. Significa apenas que nos atrasaremos cinco minutos, voando com três motores".

Alguns dos passageiros ficaram alarmados, mas o Mulá, que estava entre eles, reconfortou-os:

"Cinco minutos não fazem muita diferença, amigos".

E todos se acalmaram.

Logo em seguida, no entanto, escutaram novamente a voz do capitão:

"Outro motor está com defeito. Conseguiremos voar com dois motores, mas chegaremos meia hora atrasados".

Alguns dos passageiros ficaram apreensivos, mas o Mulá se dirigiu novamente a eles:

"O que é meia hora, afinal de contas? É melhor do que viajar no lombo de um burro!".

Os passageiros acataram essa filosofia e se acomodaram novamente nas poltronas.

Mal havia se passado meia hora, quando escutaram, mais uma vez, a voz do piloto:

"Sinto ter de informar que um terceiro motor parou de funcionar. Chegaremos ao nosso destino com uma hora de atraso".

O Mulá Nasrudin exclamou:

"Vamos torcer para que o último motor não quebre, senão ficaremos aqui em cima o dia todo!".

O SILVICULTOR

O silvicultor ficou bastante surpreso ao ver uma figura tão improvável como Nasrudin se candidatando para um emprego.

"Eu lhe darei uma chance", disse ele, "apesar de você não parecer o tipo de homem que consegue derrubar árvores. Pegue esse machado e corte o máximo de árvores que puder daquele bosque ali."

Após três dias, Nasrudin se reportou ao silvicultor.

"Quantas árvores você derrubou?"

"Todas as árvores do bosque."

O homem foi conferir e, de fato, não restava mais nenhuma árvore. Nasrudin fizera o trabalho de trinta homens.

"Mas onde você aprendeu a cortar árvores nessa velocidade?"

"No deserto do Saara."

"Mas não há nenhuma árvore no Saara!"

"*Agora*, não", respondeu Nasrudin.

MORAL DA HISTÓRIA: Se você pode derrubar árvores, você pode derrubar árvores.

OS SEMELHANTES SE RECONHECEM

Um homem, que gostava de pregar peças, desafiou Nasrudin na casa de chá:

"Dizem que você é muito esperto, mas aposto cem moedas de ouro que não consegue me enganar!".

"Consigo sim, me aguarde", afirmou Nasrudin, e saiu.

Três horas mais tarde, o homem ainda esperava por Nasrudin e seu truque. Finalmente, admitiu que havia sido enganado.

Ele foi até a casa do Mulá e depositou um saco de ouro pela janela, como pagamento da aposta.

Nasrudin estava deitado na cama, planejando o truque. Ele ouviu o tilintar das moedas, encontrou o saco e contou o ouro.

"Ótimo", disse à esposa, "o generoso destino me enviou algo para pagar minha aposta, caso perca. Agora, tudo o que eu preciso fazer é pensar em algum estratagema para enganar o gaiato, que, a essa altura, deve estar impaciente, aguardando-me na casa de chá."

ATENHA-SE AOS FATOS

Um guia conduzia um grupo pelo Museu Britânico. "Este sarcófago tem cinco mil anos."

Uma figura com barba e turbante deu um passo à frente.

"Você está enganado", corrigiu Nasrudin, "ele tem cinco mil e três anos."

Todos ficaram impressionados, e o guia não ficou nem um pouco satisfeito.

Eles avançaram para outra sala.

"Este vaso", explicou o guia, "tem dois mil e quinhentos anos."

"Dois mil quinhentos e três anos", entoou Nasrudin.

"Olhe aqui", indagou o guia, "como é que você pode datar as coisas com tanta precisão? Não me importa que venha do Oriente, as pessoas simplesmente não sabem esse tipo de coisa."

"É fácil", respondeu Nasrudin. "Estive aqui pela última vez três anos atrás. Naquela época, você disse que o vaso tinha dois mil e quinhentos anos."

MORAL DA HISTÓRIA: É mais tarde do que você pensa.

VACA COM BEZERRO

O Mulá foi ao mercado vender sua vaca, mas ninguém queria comprá-la.

Um vizinho se aproximou, e pediu:

"Deixe-me tentar, você está fazendo tudo errado".

"Preciso aprender essa arte", pensou o Mulá.

"Vaca de primeira, bezerro em cinco meses!", berrou o vizinho. Quase que imediatamente, o animal foi vendido.

Quando voltou para casa, Nasrudin soube que um jovem estava esperando para indagar sobre a possibilidade de se casar com a sua filha.

Tudo o que o Mulá fez foi experimentar sua mais nova habilidade. Ele ficou impressionado com a velocidade que o pretendente correu da sua casa.

FAÇAMOS TODOS OS DIAS

Nasrudin chegou a uma cidade no meio de uma festança. A comida era empurrada para ele de todos os lados; havia canto e dança nas ruas e as pessoas o levavam para casa e o tratavam como um rei.

"Se pelo menos nosso vilarejo fosse assim!", comentou o Mulá. "Ninguém oferece nada por lá..."

"Mas, Mulá", argumentaram os aldeões, "trata-se de uma ocasião especial, o dia de festa anual..."

"Então, posso dar minha própria contribuição no campo das ideias", disse Nasrudin. "O que vocês têm de fazer, e podemos fazê-lo no meu vilarejo também, é instituir festas anuais como esta *todos* os dias."

O VALOR DE UM HOMEM

"O que você quer?", perguntou o rei a Nasrudin, que havia conseguido uma audiência com uma certa dificuldade.

"Um milhão de moedas de ouro", respondeu o Mulá.

"Não poderia pedir menos?", indagou o rei, surpreso.

"Ah, sim, poderia: cinco moedas."

"Há uma grande disparidade entre as duas somas, não é mesmo?"

"Sim. O milhão de moedas de ouro é o que *você* vale; as cinco é o que *eu* valho."

TIRANDO A LIMPO O CASO

Um cão havia emporcalhado a rua entre duas casas. Cada um dos vizinhos alegava que o outro é que deveria limpar a sujeira.

Nasrudin estava no tribunal quando o caso veio a julgamento sumário.

O juiz que presidia se ressentia por Nasrudin reivindicar ser um juiz de direito consuetudinário. Como se tratava de um caso difícil, resolveu fazer Nasrudin descer do pedestal.

"Acatarei a sua decisão, Mulá Nasrudin", disse o juiz, "já que este é um caso difícil. Você tem a palavra final."

"Minha decisão", o Mulá respondeu de imediato, "é que, já que cabe ao judiciário tirar a limpo casos em litígio, *você* deveria limpar a sujeira."

SEGURE AQUELE LOBO

Nasrudin e um discípulo entraram num covil para capturar um filhote de lobo.

Nasrudin foi na frente e deu de cara com um lobo adulto, feroz, que o atacou. Travou-se uma luta terrível.

No meio do confronto, o discípulo gritou:

"Pare de chutar assim, estou coberto de terra até a metade!".

"Sim", replicou o Mulá, ofegante, "e se eu parar o que estou fazendo, sua outra metade também ficará coberta."

OS MILAGRES TÊM PORMENORES

Um dia, Nasrudin pôs um frango no forno para assar, e saiu por algum tempo.

Um gaiato local colocou um frango vivo no lugar do assado.

Quando Nasrudin voltou, a casa estava cercada pelos aldeões.

"Nasrudin", exclamaram, "Akram realizou um milagre. Ele trouxe a sua ave assada de volta à vida."

O Mulá abriu o forno, olhou lá dentro, e voltou-se para a multidão:

"Não há nada de errado com os milagres, mas há alguns pormenores. Você acha que o seu poder de operar prodígios, que eu reconheço francamente pela evidência diante de mim, dá a você o direito de roubar? Você sumiu com o sal e com os temperos. Quem pagará pela lenha desperdiçada? E, o pior de tudo, você fez com que o meu esforço de preparar o frango desaparecesse".

A FALTA D'ÁGUA

Havia uma grave escassez de água no interior do país. Devido à falta de chuvas, os lagos que abasteciam os reservatórios de uma certa cidade estavam baixos.

A Câmara Municipal publicou um anúncio, procurando um rabdomante.

Nasrudin, que estava trabalhando numa fábrica da região, voluntariou-se para ajudar.

Ele estipulou que trabalharia na produção de água na segunda-feira.

Quando chegou o dia, em vez de sacar sua varinha de rabdomancia, Mulá Nasrudin, cercado por uma multidão de espectadores curiosos, tirou a camisa, pediu uma tina e um pouco de água e começou a lavá-la.

De tempos em tempos, ele olhava para o céu.

Alguém protestou:

"O que lavar a sua camisa tem a ver com encontrar água para a cidade?".

"Paciência", respondeu Nasrudin, "pois não é a lavagem que resolve. Qualquer tolo sabe que basta pendurar as roupas para *secar*, que desaba um temporal."

ESPOSA E SECRETÁRIA

"Eles têm um costume curioso na Inglaterra", comentou Nasrudin, "e que eu gostaria de adotar."

"Qual?"

"Os executivos levam suas secretárias para Paris e fingem que são suas esposas."

"Mas você não tem uma secretária!"

"Já pensei nisso. Tudo que tenho de fazer é levar minha esposa para Paris e dizer que é minha secretária."

COMO MANTER A COISA ANDANDO

Mulá Nasrudin costumava ficar na rua, nos dias de mercado, para ser apontado como idiota.

Todas as vezes que lhe ofereciam uma moeda grande e uma pequena, ele sempre escolhia a pequena.

Certo dia, um homem bondoso disse a Nasrudin:

"Mulá, você deve pegar a moeda maior. Assim terá mais dinheiro e as pessoas não poderão fazer de você motivo de chacota".

"Pode ser", respondeu Nasrudin, "mas se eu sempre pegar a maior, as pessoas vão parar de me oferecer dinheiro para provar que eu sou mais idiota do que elas. E aí eu não terei dinheiro nenhum."

CULINÁRIA

Mulá Nasrudin fazia almôndegas nauseantes e as vendia numa barraca na rua, com um cartaz ao lado, que dizia: QUERO MUITO SER UM ESTUDANTE.

Passado algum tempo, a população da cidade não podia mais suportar a visão e o cheiro de Nasrudin e de suas almôndegas. Então fizeram uma vaquinha.

"Vá embora e estude, Nasrudin, pelo amor de Deus. Aqui está o dinheiro", disse o representante do povo. "Aliás, o que você quer estudar?"

"Culinária!", respondeu o Mulá Nasrudin.

DEVE SER UM DELES

Havia dois irmãos gêmeos no vilarejo de Nasrudin. Um dia, alguém lhe contou que um dos irmãos tinha morrido.

Ao avistar um dos gêmeos na rua, o Mulá correu até ele e perguntou:

"Qual de vocês foi o que morreu?".

IDENTIDADE EQUIVOCADA

Mulá Nasrudin estava muito doente e todos pensavam que ele ia morrer.

Sua esposa vestiu trajes de luto e começou a chorar e se lamuriar.

Somente Mulá Nasrudin estava tranquilo.

"Mulá", perguntou um dos seus discípulos, "como você consegue encarar a morte com tanta calma, a ponto de rir, de vez em quando, enquanto nós, que não vamos morrer, estamos atormentados temendo que você nos deixe?"

"É muito simples", explicou Nasrudin. "Enquanto estou aqui deitado, olhando para vocês, digo para mim mesmo: 'Eles todos estão com uma aparência tão horrível, que tenho quase certeza de que o Anjo da Morte, quando vier me visitar, confundirá pelo menos um deles com a sua presa, e deixará o velho Nasrudin aqui por mais algum tempo...'."

O QUE RESTOU

Mulá Nasrudin foi até um mercado de burros.

"Você está no mercado à procura de burros?", um mercador lhe perguntou.

"Sim", respondeu Nasrudin.

"Que tal um desses animais extraordinariamente belos?"

"Só um instante", pediu o Mulá, "quero que me mostre os *piores* burros que você tem."

"Aqueles são os piores."

"Muito bem, então, levarei o resto."

A VERDADEIRA E A FALSA

O Mulá caminhava à beira do mar e sentiu sede; então, agachou-se para beber um pouco de água. Mas a água tinha um gosto horrível, e ele correu até o poço do vilarejo, a um quilômetro e meio de distância.

"Rápido, dê-me um cântaro com água!", pediu, ofegante, a uma mulher que puxava água do poço.

"Por que, Mulá? Você está com sede?"

"Sim, estou, mas primeiro preciso mostrar a um impostor o que é água de verdade!"

PRIMEIRA VEZ

O Mulá foi convidado para passar o fim de semana em uma casa de campo.

Seu anfitrião promoveu um desfile de cavalos para os convidados, a fim de que cada um pudesse escolher sua montaria.

O chefe dos cavalariços anunciava os cavalos:

“Este foi montado pelo Príncipe fulano de tal; este aqui, pelo Duque de Blankshire...”.

O Mulá não podia ficar para trás:

“Traga-me”, disse, “um cavalo que nunca tenha sido montado”.

TENTOU ENGANÁ-LO

Nasrudin estava num jogo de futebol. Tinha gritado tanto no primeiro tempo, que ficou com sede.

"Vou tomar uma água", disse para um amigo que estava com ele.

"Uma para mim", pediu o amigo.

Em poucos minutos, Nasrudin voltou.

"Tentei tomar uma água por você, mas constatei, depois de ter tomado a minha, que você não estava com tanta sede assim."

MORAL DA HISTÓRIA: Se você realmente quer tomar água, tome você mesmo.

DIVERSÃO

Nasrudin foi assistir a um jogo de futebol. Vinte mil espectadores se espremiam.

Um homem que tentava comprar o ingresso de um cambista se voltou para Nasrudin e exclamou:

"Estou enlouquecendo! Há gente demais aqui!".

"Você tinha que ter vindo semana passada", comentou Nasrudin.

"O quê, estava pior?"

"Não, melhor. Não havia uma alma viva. Nenhum jogo naquele dia."

O CHARCO

Um dia, Nasrudin estava caminhando em direção à cidade, quando viu um bosque ao lado da estrada.

"Por que será que as pessoas não usam essa trilha como um atalho para a cidade?", refletiu. E decidiu experimentar.

A meio caminho andado, pisou em um charco e seu sapato foi sugado.

"Tudo bem", ele disse para a lama, "entendi o porquê, agora devolva o meu sapato."

A lama não respondeu.

Então, o Mulá refez seus passos até a estrada, andou até a cidade e depois voltou para a lama. "Charco, charco", ele disse, "já devolvi o tempo e o esforço roubados para o atalho, agora devolva minha sandália."

Sem resposta. Então, ele remexeu dentro da lama e, depois de muita dificuldade, encontrou seu sapato.

"Essa lama está obviamente determinada a fazer com que todos paguem por seus erros. Mas, ainda que seja a guardiã da consciência pública", falou o Mulá em voz alta, "ela é uma hipócrita! Aqui está o sapato, é verdade; mas a lama não se preocupou apenas em fazer com que eu me esforçasse muito, ela também sujou meu sapato."

COMO SE LIVRAR DE UM PROBLEMA

Um dia, em uma estação de metrô, um homem caiu entre os trilhos quando Nasrudin estava passando. As pessoas se aglomeraram, todas tentando tirá-lo de lá antes que o trem passasse por cima dele.

Elas gritavam: "Me dê sua mão!", mas o homem não estendia a mão.

O Mulá atravessou a multidão a cotoveladas, chegou até o homem, inclinou-se e perguntou: "Amigo, qual é a sua profissão?".

"Sou fiscal da Receita Federal", respondeu o homem, ofegante.

"Nesse caso", disse Nasrudin, "*tome* minha mão!" O homem agarrou imediatamente a mão do Mulá e foi puxado em segurança.

Nasrudin se voltou para o público boquiaberto, e advertiu:

"Nunca peçam a um coletor de impostos para *dar-lhes* alguma coisa, seus tolos". E saiu andando.

O QUE PODERIA TORNAR-SE O QUÊ

Hakim sentou-se em um restaurante e pediu ovos cozidos.

O proprietário, malandro, deu-lhe uma conta de cinco moedas de prata.

Hakim protestou, dizendo que a conta era muito alta.

"Se eu tivesse guardado aqueles ovos e a galinha os tivesse chocado, eles se tornariam galinhas", argumentou o homem do restaurante, "e a sua prole, e a prole da prole, e assim por diante, teriam produzido milhões de ovos, que valeriam muito mais do que cinco moedas. Seus ovos foram baratos."

O juiz local era Nasrudin, e Hakim levou sua queixa até ele. O homem do restaurante teve de ir junto, para defender seu caso.

Nessa época, Nasrudin escutava os casos em casa, pois dizia que "a justiça sempre se apresenta na vida cotidiana".

Quando acabou de ouvir as duas argumentações, Nasrudin pegou um pouco de milho e cozinhou. Depois, esperou esfriar um pouco e o plantou, colherada por colherada, no seu jardim.

"O que está fazendo?", perguntaram os dois.

"Plantando milho, assim irá se multiplicar," respondeu Nasrudin.

"Desde quando algo que foi cozido pode se multiplicar desse jeito?", esbravejou o dono do restaurante.

"Esse é o veredicto desta corte", concluiu Nasrudin. "Tenham um bom dia."

GRANDE E PEQUENA

Antes do Mulá Nasrudin se tornar um sufi, ele costumava pensar igual a todo mundo.

Ele ia rezar na Grande Mesquita, pedindo algo que desejava muito. Mas não funcionava, ainda que ele fosse lá todos os dias, durante meses.

Quando confidenciou suas necessidades a outro homem, ele lhe sugeriu:

"Por que você não tenta rezar na *tekkia* do Shaykh Ahan? É um oratório, como uma pequena mesquita, um anexo da casa do sufi".

O Mulá foi até lá e tentou novamente.

No dia seguinte, sua prece foi atendida.

Nasrudin se dirigiu à Grande Mesquita. Em pé, do lado de fora, falou com ela nesses termos:

"Que vergonha! E pensar que uma mesquitazinha bebê, chamada *tekkia*, pôde fazer o que uma adulta como você não conseguiu!".

CUIDADO!

"O que será que posso fazer?", Nasrudin perguntou a seu amigo Wali. "As pessoas acham que sou rude quando empurro meu carrinho de mão atrás delas, gritando: 'Cuidado, atrás de você!'."

"Não se trata de nada complexo", respondeu Wali. "Os ingleses são refinados e não gostam de grosseria, só isso."

Os dois amigos se encontraram novamente algumas semanas mais tarde. Wali perguntou:

"Como está se saindo com o carrinho de mão?".

"Seu conselho não adiantou. Tentei um pouco de refinamento, mas as pessoas ainda acham que sou inculto."

"E que forma tomou esse seu comportamento refinado?"

"Em vez de berrar: 'Cuidado, atrás de você!', eu gritava, o mais alto que podia, para ter certeza de que escutariam: 'SHAKESPEARE!', e eles ficavam bem irritados."

NÃO FUNCIONAM

Um mecânico estava consertando uma campainha do lado de fora de uma casa. Mulá Nasrudin se aproximou e perguntou:

"O que é essa coisa?".

"Alarme de incêndio."

"Já vi esses alarmes antes; não funcionam", comentou o Mulá.

"Como assim, não funcionam?"

"A campainha toca direitinho, mas o fogo queima do mesmo jeito."

VERMELHO-VERDE

Certa noite, Nasrudin foi parado por um policial.

"Esta é uma intimação por você ter avançado o sinal vermelho."

O Mulá retrucou:

"Quando eu estiver no tribunal, pedirei para que esse incidente seja contrabalançado com todas as vezes que parei no sinal verde e nunca ganhei nenhum crédito por isso".

TEMPERATURAS

Nasrudin exercia a profissão de médico.

Um amigo telefonou no meio da noite.

"Venha imediatamente, estou com febre."

"Qual é a sua temperatura?"

"Uns 60 graus!"

"Você não precisa de mim", disse o Mulá, "você precisa de uma brigada de incêndio."

TEMPO

Nasrudin estava discutindo com um homem que sabia muito mais do que ele a respeito de tudo. E aparentemente seus feitos se comparavam aos do Mulá.

Finalmente, o desafiante disse:

"Nasrudin, vamos fazer um torneio para decidir quem é melhor em tudo. Proponha algo. Seja o que for, eu garanto fazê-lo em metade do tempo".

"Aceito!", concordou Nasrudin. "E até que seja decidido por essas testemunhas aqui presentes, seremos considerados empatados. Eis a minha escolha: veremos se após mil anos da minha vida, você terá envelhecido apenas quinhentos."

PARECER

Nasrudin não estava se sentindo muito bem. Ele chamou um médico.

"Você precisa de um purgante", disse o doutor.

"Quero uma segunda opinião", replicou Nasrudin.

"Uma operação", disse o segundo médico.

"Mande vir outro médico", ordenou o Mulá.

"Massagem é a única solução em casos como este", disse o terceiro terapeuta.

"Agora temos uma prescrição", anunciou o Mulá. "Um terço de incisão, um terço de expurgo e um terço de massagem. Isso deve dar um jeito nas coisas."

PSICOLOGIA

Mulá Nasrudin foi consultar um psiquiatra.

"Meu problema é que não consigo me lembrar de nada."

"Quando isso começou?", perguntou o médico.

"Quando começou *o quê*?", retrucou Nasrudin.

QUANDO FAZER O QUÊ

Certa vez, o Mulá Nasrudin desapareceu da sua mesa de trabalho por três semanas.

Quando voltou, foi chamado à sala do chefe.

"Por onde esteve, Nasrudin? Você não pode sumir por semanas a fio sem permissão."

"Eu estava seguindo suas instruções."

"Explique-se."

"Entrei na sua sala para pedir umas férias. Você não estava lá, mas eu vi a advertência na sua mesa: FAÇA AGORA; e então eu fiz."

O VIAJANTE VELOZ

Nasrudin casou com uma viúva.

Cinco dias depois, ela deu à luz um filho.

Na mesma hora, o Mulá saiu para comprar material escolar.

As pessoas perguntaram:

"Por que está comprando todas essas coisas?".

Nasrudin respondeu:

"Se meu garoto realizou uma jornada de nove meses em cinco dias, ele estará pronto para a escola a qualquer momento".

DEPENDE DO PONTO DE VISTA

Trotando sobre seu burro, Mulá Nasrudin tentava comer um pouco de farinha de amora. Mas toda vez que ele virava o saco na boca, o vento soprava a farinha.

Um fazendeiro que passava gritou:

"O que está fazendo, Mulá?".

"Nesse ritmo...", respondeu Nasrudin. "Não estou fazendo absolutamente nada."

ADVERTÊNCIA

Nasrudin adentrou a Terra dos Tolos.

"Ó povo", bradou ele, "o pecado e o mal são detestáveis!"

Ele fez a mesma coisa todos os dias, por algumas semanas.

Um dia, quando estava prestes a começar a sua fala, ele viu um grupo de habitantes da Terra dos Tolos parado, com os braços cruzados.

"O que estão fazendo?"

"Acabamos de decidir o que fazer a respeito de todo esse pecado e esse mal de que você fala o tempo todo."

"Então, decidiram expulsá-los?"

"Não, decidimos expulsar *você*."

NÃO TIRE CONCLUSÕES PRECIPITADAS

Apesar de ser considerado um homem sábio e santo, Nasrudin era acusado de ser quase analfabeto.

Um dia, o governante do seu país decidiu colocar isso à prova.

"Escreva algo para mim, Nasrudin", ele pediu.

"Adoraria fazê-lo, mas prometi que nunca mais escreveria uma única letra sequer", respondeu Nasrudin.

"Bem, escreva algo como você costumava escrever antes de decidir não escrever, para que eu possa ver como era."

"Não posso fazer isso. Cada vez que se escreve algo, a escrita muda ligeiramente por meio da prática. Se eu escrevesse agora, seria algo escrito para agora."

"Então traga-me um exemplo da escrita de Nasrudin, qualquer um que o tenha", ordenou o governante.

Alguém levou uns garranchos horríveis, que o Mulá lhe havia escrito certa vez.

"Essa é sua letra?", perguntou o monarca.

"Não", respondeu Nasrudin. "Não apenas a escrita muda com o tempo, mas você está mostrando, agora, algo que eu escrevi para demonstrar a uma pessoa como ela *não* deveria escrever."

ÁRVORES LISAS

Nasrudin vinha de uma cidadezinha cuja mesquita não podia pagar por um minarete.

Quando viu um minarete pela primeira vez, o muezim estava andando pela pequena plataforma próxima ao topo, chamando os fiéis para a prece nos quatro pontos cardeais.

Nasrudin então exclamou:

"Antes de ficar preso nesse lugar peculiar, você deveria ter se certificado de que a árvore não era tão lisa assim, a ponto de você não conseguir descer".

DUAS POR UMA

"Por que você está arrastando sua esposa em direção ao mercado desse jeito, Mulá?"

"Acabei de ter uma ideia brilhante. Hoje ela faz quarenta anos, e proponho trocá-la por duas de vinte."

EU

Um monge disse a Nasrudin:

"Eu sou tão desapegado, que nunca penso em mim, somente nos outros".

Nasrudin retrucou:

"Eu sou tão objetivo, que posso olhar para mim como se eu *fosse* outra pessoa; assim, posso me permitir pensar em mim".

CADA LOUCO COM A SUA MANIA

Era carnaval e Nasrudin chegou em casa num estado deplorável. Sua fantasia de árabe estava em frangalhos.

"Mulá", exclamou um amigo que esperava por ele, "parece que você levou uma surra!"

"Eu levei."

"Mas as pessoas não batem nas outras por usarem fantasias!"

"Como explicar isso aos curdos que você encontra na rua, procurando por árabes para surrar?"

CUMPRIMENTO

Nasrudin estava atravessando a Terra dos Tolos montado num burro. Na estrada, ele passou por dois cidadãos ilustres que caminhavam vagarosamente. “Bom dia”, saudou o Mulá.

“Por que será que ele falou comigo e não com você?”, indagou um dos tolos para o outro.

“Idiota, foi *comigo* que ele falou, e não com você!”

Logo estavam brigando no chão. Mas subitamente se deram conta de que poderiam correr até Nasrudin e pedir que resolvesse a questão. E, num salto, desembestaram atrás dele.

Quando finalmente o alcançaram, berraram ao mesmo tempo: “Para qual de nós você disse ‘bom dia’?”.

O Mulá respondeu:

“Para o mais tolo dos dois!”.

“Definitivamente sou *eu*!”, reivindicou o primeiro tolo.

“Bobagem, obviamente sou *eu*!”, alegou o outro.

Nasrudin os deixou lutando na poeira.

O RELÓGIO

O relógio do Mulá estava sempre errado.

"Faça alguma coisa a respeito desse relógio, Mulá", alguém sugeriu.

"O quê?"

"Bem, ele nunca está certo. Qualquer coisa já seria um avanço."

O Mulá deu uma martelada no relógio. Ele parou.

"Você estava certo, sabe, isso é realmente um avanço", comentou o Mulá.

"Eu não quis dizer literalmente *qualquer coisa*. Como pode estar melhor agora do que estava antes?"

"Bem, antes de eu pará-lo, ele nunca estava certo. Agora está certo duas vezes por dia, não está?"

MORAL DA HISTÓRIA: É melhor estar certo de vez em quando do que não estar certo nunca.

UM MAU PUPILO

Um dia, o Mulá Nasrudin se deparou com um jabuti. Ele o amarrou no cinto e continuou seu trabalho na lavoura.

O jabuti começou a se debater. O Mulá levantou-o e perguntou:

"Qual é o problema, você não quer aprender a arar?".

REFLEXÃO ETOLÓGICA

"Mulá, por que você não passa algum tempo praticando formas elevadas de pensamento, a fim de se aperfeiçoar?"

"Pela mesma razão que leões não pescam."

"Ah, você quer dizer que não está equipado para isso?"

"Não, só quero dizer que ainda não tive tempo."

QUALIDADE E QUANTIDADE

Nasrudin levava um burro carregado de uvas para o mercado.

Grupos de crianças pequenas imploravam pelas uvas sem parar, mas ele deu para cada uma um punhado ínfimo.

"Você é malvado, Nasrudin!", elas gritaram.

"De jeito nenhum", retrucou o Mulá. "Faço isso para ilustrar a tolice das crianças. Todas as uvas têm o mesmo sabor. Se você provou um pouco, já sabe como é todo o resto. Então não importa se comeu muitas ou só algumas."

CONSCIÊNCIA SOCIAL

Alguém falou para o Mulá Nasrudin que ele deveria se preocupar com o bem-estar dos outros tanto quanto se preocupava com o seu.

Desse modo, da próxima vez que tomou um gole de sopa quente, ele correu pelas ruas da cidade, berrando:

"Cuidado, cuidado, meu estômago está queimando!".

CANÇÃO DE BANHEIRO

A acústica do banheiro de Nasrudin era particularmente favorável.

Um dia, cativado pela beleza da sua voz, ele pensou:

"Por que não compartilhar esse deleite com outros Fiéis Verdadeiros?".

Ele correu até o topo do minarete mais próximo e começou a chamar para a oração da manhã.

Alguém gritou para ele:

"Idiota! Não só não está na hora da oração, como sua voz é horrível!".

"Sim", respondeu Nasrudin, chateado, "teremos de esperar que construam um banheiro aqui em cima, para que me apreciem."

ESPOSA, LADRÃO E BURRO

O Mulá estava cansado de alimentar seu burro. Ele pediu à esposa que o fizesse, mas ela se recusou e tudo terminou numa disputa, na qual decidiram que quem falasse primeiro alimentaria o burro.

O Mulá se sentou estoicamente num canto. Sua esposa logo se entediou e saiu para visitar os vizinhos. Quando chegou a hora do jantar, ela enviou um garoto com uma tigela de sopa para o Mulá.

Nesse meio tempo, um ladrão entrou na casa silenciosa de Nasrudin. Ele roubou tudo o que estava à vista. Como o Mulá estava sentado imóvel e mudo, ele chegou a pegar o chapéu da sua cabeça. E se foi.

Pouco tempo depois, chegou o garoto com a sopa.

Nasrudin tentou explicar com gestos que um ladrão estivera lá, mas tudo o que o garoto viu foi ele apontando agitadamente para a própria cabeça, de onde o chapéu tinha sido levado.

Tomando o gesto como uma ordem, o garoto despejou a sopa na cabeça do Mulá e voltou para relatar as estranhas circunstâncias para a esposa de Nasrudin.

Ela correu para casa. Vendo todas as portas abertas e os armários vazios, ela começou a xingar o marido.

Nasrudin falou:

"Agora vá alimentar o burro, e dê uma boa olhada no que você conseguiu com a sua teimosia".

QUANTO CUSTA?

Nasrudin havia poupado muito dinheiro.

Alguém o convidou para ir a um desfile de moda.

Depois do evento, perguntaram-lhe se ele tinha gostado.

"É uma tremenda falcatrua!"

"Por quê?"

"Eles te mostram as mulheres, e depois tentam te vender as roupas!"

O COMÍCIO ELEITORAL

Era época de eleições. A cidade tinha convidado todos os candidatos para discursar para os cidadãos na prefeitura.

Nasrudin foi chamado, como um personagem local exótico, para entreter o público.

Quando os três candidatos já haviam falado, o Mulá subiu no palanque e disse:

"Vim aqui para lhes oferecer a minha receita especial. Tomem nota e façam vocês mesmos".

Continuando, ele disse que se deveria juntar certas quantidades de mel, alho e peixe, cozinhar a mistura e depois comê-la.

Um grande número de pessoas experimentou a receita.

O gosto era horrível. Muitas invadiram a casa de Nasrudin, querendo saber o que ele queria dizer com aquela pegadinha.

"Bem", explicou o Mulá Nasrudin, "eu não disse que gostava da receita; na verdade, eu, pessoalmente, nunca experimentei. Mas me pareceu uma ideia tão boa, que eu queria saber se iria funcionar. É isso que os candidatos às eleições fazem, não é?"

É POR ISSO QUE ELAS DÃO VALOR

"Nunca dê às pessoas nada do que pedem enquanto não tiver transcorrido pelo menos um dia!", advertiu o Mulá.

"Por que não, Nasrudin?"

"A experiência mostra que elas só dão valor a algo depois que tiveram a oportunidade de duvidar se o obteriam ou não."

UMA RAZÃO PARA TUDO

Nasrudin, morrendo de fome, foi até uma lanchonete e começou a encher a boca de comida, usando as duas mãos.

Seu vizinho estava passando por ali, e parou.

"Por que está comendo com as duas mãos, Mulá?"

"Porque não tenho três."

O QUE VOCÊ NÃO CONSIDEROU...

"Se ninguém disser algo para me entreter", berrou um tirânico e decadente rei, "cortarei a cabeça de todos na corte."

O Mulá Nasrudin imediatamente deu um passo à frente.

"Majestade, não corte a minha cabeça, farei alguma coisa."

"O que você pode fazer?"

"Eu posso... Ensinar um burro a ler e a escrever."

O rei ameaçou:

"É melhor que você possa mesmo, senão arrancarei a sua pele!".

"Eu o farei", afirmou Nasrudin, "mas levarei dez anos!"

"Muito bem", concordou o rei, "concedo-lhe dez anos."

Quando a corte encerrou os trabalhos do dia, os nobres cercaram Nasrudin.

"Mulá", perguntaram, "você realmente pode ensinar um burro a ler e a escrever?"

"Não", respondeu Nasrudin.

"Então", disse o mais sábio dos cortesãos, "tudo o que você conseguiu foi provocar uma década de tensão e ansiedade, pois está, certamente, fadado a morrer. Ó, que sandice preferir dez anos de sofrimento e contemplação da morte a um golpe rápido do machado do carrasco..."

"Faltou você considerar apenas uma coisa", observou o Mulá. "O rei tem setenta e cinco anos e eu tenho oitenta. Muito antes do prazo acabar, outros elementos entrarão nessa história..."

FORÇA MOTRIZ

O filhinho de Nasrudin estava na escola, aprendendo sobre livros.

Um dia, ele chegou em casa e perguntou:

"Pai, posso pegar uma enciclopédia para a escola?".

"Não, não pode."

"Mas várias outras crianças fizeram isso."

"Não interessa. Você vai pegar o trem, como eu e a maioria das pessoas."

OS REQUISITOS CERTOS

Alguém perguntou ao Mulá:

"É possível um homem de cem anos de idade ter um filho?".

"Sim", ele respondeu, "desde que tenha uma cúmplice, digamos, em seus vinte ou trinta."

FORRAGEM PARA CAMELOS

Mulá Nasrudin estava sentado em uma casa de chá, em Khanabad, quando um estranho entrou e sentou-se ao seu lado.

O recém-chegado perguntou:

"Por que aquele homem ali está se debulhando em lágrimas?".

"Porque acabei de chegar da sua cidade natal e lhe contei que toda a sua forragem de inverno para os camelos foi perdida durante um incêndio."

"É terrível ser o portador de uma notícia dessas", comentou o desconhecido.

"Também é interessante ser o homem que em breve lhe trará boas notícias", continuou Nasrudin. "É que os camelos morreram de uma praga, então ele não vai mais precisar da forragem."

A TIRANIA DA MAIORIA

A uma certa altura da vida do Mulá Nasrudin, toda a população do vilarejo estava farta das suas gaiatices e confusões.

Todos foram se queixar ao magistrado, e ele deu seu veredicto:

"Nasrudin, pela vontade do povo, declaro que você tem de deixar a cidade".

"A vontade é unânime?", perguntou o Mulá.

"Sim, receio que sim."

"Então me recuso a ir. Eles são muitos e eu sou um só. Se não gostam da cidade como ela é, podem partir e construir outra. Mas como eu, um único indivíduo, poderia começar a construir até mesmo uma pequena casa em outro lugar?"

UMA QUESTÃO DE IDIOMA

Nasrudin foi a uma festa oferecida pelo Grande Lama do Tibete.

"Talvez você não conheça nossos costumes", falou o intérprete, "então, devo alertá-lo de que o Grande Lama considera que dá muito azar espirrar."

"Lembrarei disso", afirmou Nasrudin.

Todos os ilustres do mosteiro do Lama estavam presentes e, no meio da festa, quando uma trombeta de bronze foi subitamente soprada, Nasrudin espirrou bem na cara do Lama.

Mais tarde, o intérprete disse ao Mulá:

"Nosso mestre provavelmente ficou muito chateado. Em mil anos, nunca ninguém ousou, por respeito, espirrar aqui".

"Ah, acho que você não precisa se preocupar com isso", tranquilizou-o Nasrudin. "Veja, espirrei no meu próprio idioma, e não no dele. Ele jamais teria se dado conta do que se tratava realmente."

TARDE DEMAIS

Mulá Nasrudin estava na Inglaterra havia muitos anos. Após fixar moradia em Liverpool, ele começou a escrever poesia. Compôs milhares de versos, e seus amigos e ele fizeram de tudo para promovê-lo.

Um dia, seu amigo Wali o encontrou sentado com a cabeça entre as mãos, chorando amargamente.

"Alegre-se, Nasrudin", ele disse, "não pode ser tão ruim assim!"

"Mas é", replicou Nasrudin, "pois acabo de descobrir que não sou um poeta."

"Tudo o que tem de fazer", aconselhou Wali, "é desistir da poesia; então se sentirá melhor."

"Mas não posso fazer isso. Fui eleito Poeta do Século pela Academia de Cultura. Sou famoso desde ontem."

MEMÓRIA

"Como está se saindo com aquele curso de treinamento para memória que está fazendo por correspondência, Mulá?"

"Estou avançando. Agora consigo, às vezes, me lembrar de que esqueci alguma coisa."

CEM ANOS

"Que tipo de pássaro eu deveria colecionar no meu jardim, como um bom investimento?"

"Ora, Mulá, eu tenho exatamente o que você precisa: papagaios. Eles vivem cem anos."

"Bem, você sabe como eu sou cauteloso. Dê-me apenas um para experimentar, e eu volto se ele durar o tempo que você diz."

NOVE BURROS

Uma vez, Nasrudin foi incumbido da tarefa de levar nove burros a um fazendeiro local.

O homem que confiou os burros ao Mulá contou-os, um por um, para que Nasrudin tivesse certeza de que havia mesmo nove.

No caminho, sua atenção foi desviada por algo à beira da estrada.

Nasrudin, montando um dos animais, contou-os, repetidas vezes. Só conseguia somar oito.

Tomado pelo pânico, ele saltou do burro, procurou por todos os lados e contou novamente.

Havia nove.

Então, ele se deu conta de algo extraordinário: quando estava montado, só conseguia ver oito burros. No entanto, quando desmontava, avistava nove.

"Isso é um castigo", concluiu o Mulá, "por eu ir montado, quando deveria, sem dúvida, ir andado atrás dos burros."

"Você teve alguma dificuldade para trazê-los até aqui?", perguntou o fazendeiro quando Nasrudin chegou, todo empoeirado e desgrenhado.

"Depois que aprendi o truque 'ande atrás', dos condutores de burros, não tive nenhuma", respondeu Nasrudin. "Antes disso, eles estavam cheios de truques."

SÓ ESPERO ESTAR DOENTE

Nasrudin chegou tarde no posto de saúde e já havia uma multidão esperando atendimento médico.

Ele começou a repetir, sem parar e em voz alta:

"Espero estar muito doente! Espero estar muito doente!"

Ele desmoralizou os outros enfermos a tal ponto, que eles insistiram para que Nasrudin fosse o primeiro a ver o médico.

"Só espero estar muito doente!", ele berrou para o doutor.

"Por quê?"

"Não posso suportar a ideia de que alguém que se sente como eu esteja realmente saudável e em boa forma!"

A DOENÇA DA MINHA ESPOSA

"Bom dia, Mulá, o que posso fazer por você?", perguntou o médico local.

"É sobre a doença da minha esposa."

"Ela está doente?"

"Sim, ela disse que era melhor eu vir dizer a você que ela gostaria de vê-lo."

"Devo ir imediatamente?"

"Não, ela me disse depois que estava se sentindo melhor, então eu vim lhe dizer que, embora você tivesse que ter ido vê-la caso ela não estivesse melhor, já que ela se recuperou, você não precisa mais ir."

BURRO PERDIDO

"Mulá, seu burro desapareceu."

"Graças a Deus eu não estava em cima dele quando isso aconteceu, senão eu teria desaparecido também!"

ABERRAÇÃO

Um homem puxou assunto com Nasrudin do lado de fora de uma loja.

Nasrudin estava com a barba mal feita:

"Com que frequência você faz a barba?".

"Vinte ou trinta vezes por dia", respondeu o Mulá.

"Você deve ser uma aberração!"

"Não, sou apenas um barbeiro."

O HORÁRIO DA EMPRESA

O Mulá havia conseguido um emprego numa fábrica. O contramestre avistou-o pousando suas ferramentas e andando em direção à porta.

"Aonde você pensa que vai?"

"Vou cortar o cabelo."

"Você não pode ir cortar o cabelo no horário da empresa!"

"Mas ele cresceu no horário da empresa!"

"Não todo o cabelo."

"Está bem, então, não vou cortar todo ele."

MORAL DA HISTÓRIA: Seu cabelo pode ter crescido no horário da empresa, mas isso não significa que todos entenderão você.

CINZA E BRANCO

Nasrudin, quando criança, perguntou a seu pai:

"Por que seu cabelo ficou cinza?".

"Porque, Nasrudin, crianças fazendo perguntas impossíveis deixam o cabelo de um homem branco."

"Entendo", disse o Mulá. "Isso explica por que o cabelo do seu pai é branco como a neve."

ESOTÉRICO

Um impostor espiritual, chamado Khamsa, aproximou-se de Nasrudin e perguntou:

"É verdade que você possui um conhecimento secreto?".

"Conte-me algo sobre as suas experiências elevadas", foi tudo o que Nasrudin falou.

"Muito bem. À noite, eu deixo este plano de materialidade e ascendo ao mais alto dos céus."

"Você, Ó Mestre", indagou Nasrudin, "sente que sua face está sendo refrescada por um objeto, uma espécie de leque?"

"Sim, sim!", respondeu Khamsa, pensando que se tratava de uma das indicações de conquistas mais elevadas.

"Nesse caso", continuou Nasrudin, "é bom você saber que o objeto, uma espécie de leque, é o rabo do meu burro orelhudo."

AUTOMAÇÃO

A diretoria convocou uma reunião com todos os funcionários.

"Meus amigos", começou o diretor geral, "devo anunciar que, daqui a um mês, esta fábrica estará totalmente automatizada."

Houve um sobressalto geral na plateia.

"Todos os processos serão realizados por máquinas. Isso fará com que o trabalho melhore, que seja realizado mais rápida e lucrativamente."

"E o que será de nós?", alguém exclamou.

"Não há motivo para alarde. Vocês serão pagos como de costume, e com bônus anuais. Continuarão a ter acesso à mesma cantina subsidiada e ao complexo esportivo. Tudo o que têm a fazer é vir às sextas-feiras para receber o pagamento."

Nasrudin, um sindicalista, levantou-se.

"Não *todas* as sextas-feiras, eu espero!"

NOMES

Um certo conquistador perguntou a Nasrudin:

"Mulá, todos os grandes governantes do passado tinham títulos honoríficos formados com o termo Deus; havia, por exemplo: 'Abençoado por Deus', 'Reconhecido por Deus', e assim por diante. Que tal um nome desses para mim?".

"Deus me livre", respondeu Nasrudin.

O GIZ

Um dia, Nasrudin estava pichando com giz um muro, em Londres, e foi detido pela polícia. Ele agiu de maneira tão estranha, que foi entregue às autoridades sanitárias, declarado insano e enviado para um manicômio.

O hospício estava repleto de lunáticos perigosos. Quando foi empurrado para o pátio da instituição, os internos o cercaram, gritando e bradando.

Ele sacou o giz do bolso e exclamou: "Afastem-se, todos!".

Espantados, os lunáticos obedeceram.

Nasrudin os dividiu em duas equipes. Em seguida, traçou entre elas uma linha no concreto.

"Agora", ordenou, "todos vocês, pulem sob isso. O primeiro que conseguir ficar embaixo ganha."

Muitos ficaram gravemente feridos, conforme as equipes se lançavam incansavelmente sobre a linha.

Nasrudin foi liberado do manicômio. Ninguém soube ao certo se foi por causa das lesões dos internos, ou da sua engenhosidade com o giz.

MORAL DA HISTÓRIA: O que te colocou em apuros pode te tirar.

PROPRIEDADE PERDIDA

Mulá Nasrudin estava vagando pelas ruas à meia noite.

O vigia perguntou:

"O que você está fazendo aqui fora tão tarde, Mulá?".

"Meu sono desapareceu e estou procurando por ele."

TÃO QUENTE

Nasrudin era muito preguiçoso. Um dia, voltando de uma viagem ao Golfo – que é extremamente quente no verão –, ele declarou para os seus conterrâneos: “Quer saber? Eu nunca estive tão constantemente ativo em minha vida como no Golfo”.

“E o que é que você ficou fazendo, Mulá?”

“Fiquei suando.”

SOU EU?

Nasrudin foi ao banco com um cheque para trocar.

"O senhor poderia se identificar?", pediu o atendente.

Nasrudin, pegando um espelho e mirando-se, respondeu: "Sim, este sou eu mesmo".

AMBIÇÃO

Nasrudin foi a uma entrevista de emprego numa loja de departamento.

O gerente lhe perguntou:

"Aqui, nós gostamos de homens ambiciosos. Que tipo de cargo está procurando?".

"Muito bem", respondeu Nasrudin, "aceito o *seu* cargo."

"Você é louco?"

"Posso até ser", replicou o Mulá, "mas essa é uma qualificação necessária?"

MORAL DA HISTÓRIA: Não há nada de errado com a ambição, desde que você não atravesse o caminho do outro.

COPIADOR

Nasrudin queria saber mais sobre arte, então um amigo o levou a uma galeria.

"Quem pintou este quadro?", perguntou o Mulá, parado em frente a uma tela enorme e colorida.

"Picasso, você pode ver pela assinatura."

"Danado! Como se atreve a copiar o meu calendário?"

NENHUM PARENTE

"Você está muito doente, Mulá", disseram os vizinhos. "Quem são seus parentes?"

"Não tenho nenhum."

"Mas você disse que sua mãe estava viva!"

"Ela está viva, sim, mas desde que meu pai se divorciou dela, não tenho nenhum parente no mundo."

SERVIÇO

Nasrudin estava no departamento de patentes tentando patentear uma varinha mágica.

"Sinto muito", disse o atendente, "mas não patenteamos invenções impossíveis."

Então, Nasrudin agitou sua varinha mágica e o atendente desapareceu.

SAPATOS

Um dia, um ladrão especializado em roubar sapatos seguiu Nasrudin.

O Mulá entrou numa mesquita, sentou-se e começou a fazer as orações. Contrário aos costumes, ele se manteve calçado.

O ladrão, que havia sentado atrás dele, não conseguiu se conter e disse, em voz alta:

"Uma oração feita com os sapatos calçados não perdura".

"Não", balbuciou Nasrudin sobre os ombros, "mas se perdurarem os *sapatos*, isso já é alguma coisa."

DUAS METADES

Nasrudin abriu uma agência de palestras. Ele conhecia muita gente que sentia ter algo de interessante para dizer. Então, por que não se tornar seu agente?

No entanto, aqueles que se achavam interessantes, em geral não eram. Ele recebeu muitas reclamações.

"Da próxima vez, vou me precaver", disse para si mesmo.

Um dia, chegou um telegrama de um grupo de estudos:

> POR FAVOR, PROVIDENCIE ALGUÉM SAGAZ PARA
> DISCURSAR PARA O NOSSO GRUPO NO DOMINGO.

"Dessa vez posso tomar minhas precauções", pensou o Mulá. Ele enviou dois de seus palestrantes, e respondeu ao telegrama:

> SAGAZES DIFÍCIL DE ENCONTRAR
> ENVIEI DOIS MEIO-SAGAZES.[2]

MORAL DA HISTÓRIA: A soma das partes não é necessariamente igual ao todo.

---

2 O termo inglês *wit* pode ser traduzido por "sagaz"; *half-wit*, que seria, literalmente, "meio-sagaz", significa "estúpido", "tolo". Há, aqui, portanto, um jogo de palavras que só faz sentido no idioma inglês. (N. do T.)

UM PROBLEMA DE COMUNICAÇÃO

"A linguagem", disse Mulá Nasrudin, "foi concebida para descrever ações e também pensamentos. Isso significa que basta você usar as palavras certas e tudo será compreendido."

"Mas, Mulá", argumentou um amigo, "sem dúvida, isso não se aplica a tudo?"

"Se aplica, sim."

"Então pode me explicar como se dá a manufatura da seda?"

"Certamente. A primeira parte é pegar as larvas e desenrolar o que está enrolado. A segunda parte é se livrar das larvas e enrolar novamente o que foi desenrolado."

A VIAGEM

Wali, o amigo de Nasrudin, escorregou e caiu da altíssima Torre dos Correios, em Londres.

Na noite seguinte, Nasrudin sonhou que estava visitando o Céu, quando topou com Wali.

"Como foi, Wali?"

"O impacto foi horrível, mas a viagem... A viagem foi magnífica!"

A MESMA FORÇA

Nasrudin assistiu a uma palestra de um homem que ensinava uma filosofia que lhe fora transmitida por alguém que havia vivido vinte anos antes.

O Mulá perguntou:

"Essa filosofia é, na sua forma atual, tão aplicável hoje, a uma comunidade diferente, como era duas décadas atrás?".

"É claro que sim", respondeu o palestrante. "Esse é apenas um exemplo das perguntas ridículas que as pessoas fazem. Um ensinamento permanece sempre o mesmo, a verdade não se altera!"

Algum tempo mais tarde, Mulá Nasrudin abordou o mesmo homem para pedir um emprego como jardineiro.

"Você parece um tanto velho", disse o palestrante, "e não sei se você pode dar conta desse trabalho."

"Posso parecer diferente", argumentou Nasrudin, "mas tenho a mesma força que tinha vinte anos atrás."

Ele conseguiu o emprego pela força da sua convicção.

Pouco tempo depois, o filósofo pediu a Nasrudin que deslocasse uma laje de um lugar do jardim para outro. Por mais que tentasse, o Mulá não conseguia levantá-la.

"Pensei que você tinha dito que era tão forte quanto há vinte anos", desafiou o filósofo.

"Sou exatamente tão forte quanto", respondeu Nasrudin. "Há vinte anos, eu também não teria conseguido levantá-la!"

RECONSIDERANDO

Centenas de pessoas deixavam a sessão noturna de um certo sufi, enquanto Nasrudin se dirigia para lá.

Subitamente, ele se sentou no meio da rua.

Uma das pessoas parou e perguntou:

"O que está fazendo?".

Nasrudin respondeu:

"Bem, eu *estava* indo à casa do sufi. Mas já que todos estão se *afastando* de lá, estou reconsiderando."

COMO PEGAR NASRUDIN

"Se você quiser que seu burro ande mais rápido, Nasrudin", disse um vizinho, "pegue um pouco de amônia e esfregue no lombo dele."

Nasrudin constatou que, de fato, funcionava.

Um dia, sentindo-se um pouco letárgico, experimentou o remédio em si mesmo.

A amônia queimava tanto, que ele começou a correr em círculos dentro do quarto.

"Qual é o problema?", gritava a esposa, sem conseguir segurá-lo.

"Se quiser me pegar", disse, ofegante, o Mulá Nasrudin, "use o conteúdo daquela garrafa ali."

A VONTADE DE ALLAH

"Que seja feita a vontade de Allah", disse um homem devoto a respeito de alguma coisa.

"Ela sempre é feita", retrucou o Mulá Nasrudin.

"Como você pode provar o que diz, Mulá?"

"Muito simples. Se ela não estivesse sempre sendo feita, então, em algum momento, a *minha* vontade seria feita, não é mesmo?"

Título original
The Subtleties of the Inimitable Mulla Nasrudin

EDITOR
Laura Di Pietro

CAPA E PROJETO GRÁFICO
Tecnopop

DIAGRAMAÇÃO
Letra e Imagem

REVISÃO
Gerusa Bondan

Este livro atende às normas do Novo Acordo Ortográfico em vigor desde janeiro de 2009.

DADOS INTERNACIONAIS DE CATALOGAÇÃO-NA-PUBLICAÇÃO (CIP)

S525s Shah, Idries, 1924-1996
As sutilezas do inimitável Mulá Nasrudin / Idries Shah ; tradução de Tami Buzaite. – Rio de Janeiro : Tabla, 2016.
120 p. ; 21 cm. – (Coleção filosofia viva)

Tradução de: The subtleties of the inimitable Mulla Nasrudin.
ISBN 978-85-92632-00-7

1. Folclore. 2. Nasrudin (Personagem lendário). 3. Sufismo. 4. Contos sufis. I. Título. II. Série.

CDD- 398.22

2016

tel/fax 21 30887238
contato@editoratabla.com.br
www.editoratabla.com.br

Publicado em parceria com The Idries Shah Foundation.

Este livro foi composto nas famílias Sabon e
Avant Garde e impresso em papel Avena 80g/m²
pela Grafitto Gráfica em maio de 2016.